魔法杂货店

毛妮妮　栾笑语　著

潘　婷　朱　悦　绘

知识产权出版社

全国百佳图书出版单位

街上新开了一家杂货店，小朋友们可高兴啦！那里面什么都有，就好像一座魔法屋，妮妮好喜欢。

很多人走进去，"噼里啪啦，变！"一会儿就
拿着喜欢的东西出来啦！

小明和妈妈走了进去，"噼里啪啦，变！"一会儿小明拿着棒棒糖出来了。

小花和爸爸走进去，"噼里啪啦，变！"小花抱着布娃娃出来了。

"我要仙女棒！噼里啪啦，变！"妮妮兴奋地叫着。可是……售货员阿姨
只是看着妮妮，没有给她仙女棒。

"你没说神奇的咒语。"阿姨说。

"什么是神奇的咒语？"妮妮很奇怪地问。

"你要说：'请问多少钱？'"

"哇！咒语真好玩！"妮妮说。

"请问多少钱？"妮妮问。

"5元钱，谢谢！"阿姨回答。

7

"钱？"

妮妮仔细观察身边
的叔叔、阿姨和小朋友，
他们手里都拿着钱！

“我要一本书，请问多
少钱？”
　　“20 元钱，谢谢！”

妮妮发现，原来，大家都会说神奇的咒语。

妈妈说："神奇的东西叫做钱，用钱来交换各种物品，就叫交易。如果妮妮想买仙女棒，就要用钱去交易。"

妈妈给了妮妮一张钱，妮妮看到上面写着"5 元"。

"去试试吧，别忘了说神奇的咒语。"

妮妮拿着钱，对售货员阿姨说："我要一个仙女棒，请问多少钱？"

"5 元钱，谢谢！"阿姨说。

妮妮说："给您 5 元钱。"

"给你仙女棒，请拿好。"阿姨说。

　　原来，杂货店的好东西不是"噼里啪啦"变出来的，而是要先说神奇的咒语，再用神奇的钱去交易的。

　　"是不是所有的好东西，都要用神奇的钱去交易呢？"妮妮问妈妈。妈妈回答说："大多数好东西都可以用钱交易。也有很多时候，是用一样东西，去交换另一样东西的。"

在跳蚤市场上，妮妮可以用一个漂亮盒子，交换小明的花朵。花朵插在妮妮头上，妮妮变得更漂亮了；小明把积木放进盒子里，家里的玩具更整齐了。

在超市，爸爸可以刷信用卡购买牛奶。

在乡村，奶奶可以用一把小白菜交换两根胡萝卜。

在幼儿园，小花给妮妮讲了一个好听的故事。

妮妮给小花唱了一首动听的歌曲。

晚上，妮妮躺在床上，妈妈
给她讲魔法杂货店的故事。

听着听着，妮妮打了个呵欠，困了。她搂住妈妈的脖子说："妈妈，我要和你交换一个香香的吻。"

妈妈给了妮妮一个香香的、甜甜的吻，"宝贝，妈妈的吻是用钱买不到的，但每天都可以送给最爱的妮妮。"

妮妮笑着说："妮妮的吻也是用钱买不到的，也要送给妈妈。"

妮妮也给了妈妈一个香香的、甜甜的吻，然后就在妈妈的怀里睡着了。

魔 法 杂 货 店

孩子最喜欢模仿大人的日常活动，通过"模拟商店"游戏，孩子会了解钱到底是什么，钱有什么作用；并让孩子明白平时吃、穿、用的东西，以及收到的礼物，都是通过钱"交换"得来的。此外，通过不同商品价格的高低，还可以让孩子了解商品的价格，以及价值之间的关系。

我们要准备什么呢？

一定量的模拟货币（见本册书附带模拟货币）；

平时家庭中的蔬菜、水果、玩具、零食和文具等；

孩子的夏天和冬天的衣服；

计算器、购物袋、模拟电子称等

1 角色分配：孩子是商店的店长和收银员，爸爸、妈妈是顾客。

2 店长需要为商店的商品贴标签。爸爸、妈妈先让孩子自己决定每件商品多少钱。

3 孩子通过称重、贴价签、收银和数钱等动作，了解顾客如何获得商品。爸爸、妈妈可以为孩子讲解钱的第一个功能——交换媒介。在现实生活中，人们通过手中的钱去市场、商店或者网上购买喜欢的商品。

4 爸爸、妈妈接着问孩子："店长是怎么给商品定价的呢？为什么这件商品贵，那件便宜呢？"爸爸、妈妈可以为孩子讲解钱的第二个功能——显示商品的价值。在商店中，同样重量的面包，价格贵的一般会比价格低的好吃一些，因为价格贵的面包中一般使用了更好的食材。

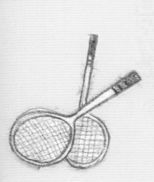

毛妮妮

"财智少年"青少年儿童财商教育项目创始人，金融教育从业十余载，是中国最早从事青少年儿童金融启蒙教育、财经素养培养的实践者之一；曾任瑞银金融大学（UBS Business University）中国区总监，全面负责瑞银集团中国区"第二代培养计划 —— Young Generation (睿隽计划)"的策划、设计与实施，亲历中国超高净值人群财富传承，对于中产阶层人群的财富积累、财富观养成、财富意识打造具有独到见解；近年来，一直致力于传播正确的财富观、培养青少年经济社会的独立生存能力和理性选择能力，帮助其提升幸福感。

栾笑语

吉林大学文学硕士，资深媒体人。
长期关注宏观经济和微观经济、青少年财商教育，对儿童心理学也有研究。
现供职于《经济日报》，为主任记者。

财智少年订阅号　　　　财智少年服务号　　　　扫一扫听绘本

请沿虚线剪开

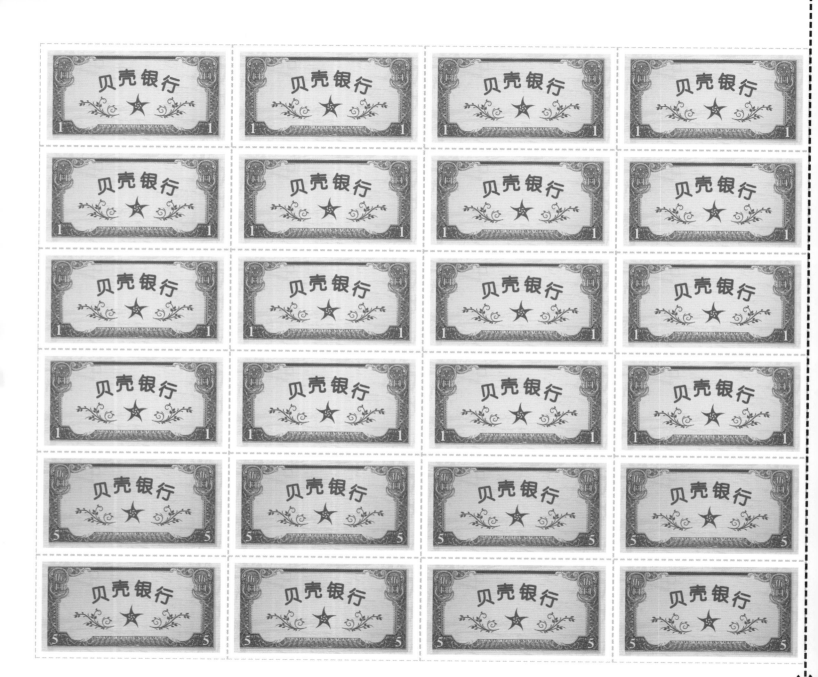

请沿虚线剪开

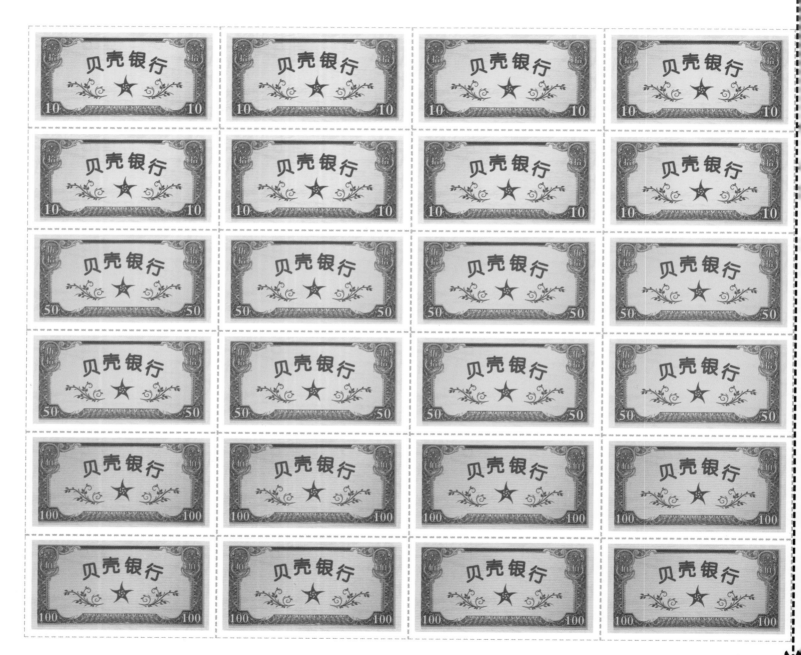

请沿虚线剪开